Gamal al-Ghitani

Das Buch der Schicksale

Aus dem Arabischen von
Doris Kilias

Unkorrigierte Leseprobe

Verlag C.H.Beck

Gamal al-Ghitani, geboren 1945, studierte an einer Schule für Kunsthandwerk und war anschließend einige Jahre Teppich-designer in Kairo. Seit 1969 arbeitet er als Journalist. Er leitete einige Jahre das Feuilleton der Tageszeitung *Al-Ahbar* und ist seit 1993 Herausgeber der wichtigsten arabischen Literaturzeitschrift. Seit Ende der sechziger Jahre veröffentlicht er Romane und Erzählungen, für die er zahlreiche Preise gewann: al-Ghitani gilt als einer der bedeutendsten ägyptischen Autoren der Gegenwart. Bisher wurden zwei seiner Romane ins Deutsche übertragen: „Seini Barakat" (1988) und „Der safranische Fluch" (1991).

Gamal al-Ghitani

Die Geschichte vom jungen Hoteldiener

Er und in einem Hotel arbeiten? Hätte man ihm diese Frage als Student gestellt, wäre ein verächtlicher Blick die Antwort gewesen. Er war Jahrgang 1956, und als während der Sueskrise die Dreieraggression auf die Stadt Port Said stattfand, die in jener, nunmehr in Vergessenheit geratenen Zeit die „Ewige" oder „Standhafte" genannt wurde, da ruhte er, unser junger Mann, noch drei Wochen im Mutterleib, bevor er ins Leben eintreten durfte.

Seine Mutter konnte sich noch gut an diese Zeit erinnern. Ihr Mann verbrachte aufgrund des Ausnahmezustands die Nächte im Büro, und so war sie allein mit dem Glück, das Kind zu spüren. Es drehte und streckte sich, gerade so, als strebte es danach, vorzeitig das Licht der Welt zu erblicken. In jenen Nächten, als Verdunkelung angeordnet war denen Ausgangssperre verhängt worden war, saß sie aufrecht im Bett, den Rücken an ein Kissen gelehnt, und fragte sich, was es wohl werden würde: ein Junge oder ein Mädchen? Was für ein Kind würde es sein? Sie malte sich seine Zukunft aus, schmiedete Pläne ... Doch dann, als es endlich kam und sie den ersten Schrei hörte, da stand das Land in Flammen, und die Waffen klirrten. Es waren Tage, in denen die Wogen patriotischer Empörung hochschlugen; feurige Lieder wurden gesungen, und jeder fühlte sich als Teil einer einzigen großen Gemeinschaft.

Es war ein gesundes, freundliches Kind, mit großen lachenden Augen und üppigem seidigen Haar. Die Mutter schnitt es regelmäßig, denn der Junge sollte nicht wie ein Mädchen aussehen. Es gab eine Reihe von Fotos, und ein paar davon lagen immer auf ihrem Nachttischchen. Der Vater sorgte für einen gewissen Wohlstand, denn für die damalige Zeit verdiente er gut. Er wurde fristgemäß befördert, und die Jahreszulagen wurden pünktlich gezahlt. Er erklomm Stufe für Stufe, und schließlich wurde er genau in dem Jahr, in dem sein Sohn die Oberschule abschloß, zum Büroleiter des Unterstaatssekretärs im Ministerium ernannt. Er war ein bescheidener, rechtschaffener Mann, der für seine Redlichkeit bekannt war; jeder Bestechungsversuch wäre bei ihm verlorene Mühe gewesen. Von seiner Mutter hatte er ein Stück Land geerbt, das er verpachtete. Diese zusätzliche Einnahme machte es der Familie möglich, im Sommer zwei Wochen Urlaub in Ras al-Barr zu verbringen. Ansonsten stellte er keine großen Ansprüche, war aber auf die Erfüllung aller seiner Pflichten äußerst bedacht. Er verpaßte kein Begräbnis, keine Hochzeit, war immer liebenswürdig und gut gelaunt. Im Umgang mit seinem Sohn zeigte er viel Geduld, und vor allem kam es ihm darauf an, ihn Pflichtbewußtsein zu lehren. Er war ein gutaussehender Mann, es war also kein Wunder, daß der Sohn ihm nachschlug.

In den Wochen vor den Prüfungen tat der Junge kaum ein Auge zu, und was noch schlimmer war, er wurde immer dünner. Die Mutter machte sich Sorgen, bat ihn, mehr zu essen, damit er ja nicht vom Fleisch fiel. Als er das Abitur glänzend bestanden hatte, war ihr leichter ums Herz. Der Vater hoffte darauf, daß sein heimlicher Wunsch in Erfüllung ginge, den Sohn künftig als Diplomaten zu sehen. „Mein Sohn vertritt Ägypten im Ausland", sprach er oft laut vor sich hin, wenn er allein war und ihn niemand hörte. Oder er sagte: „Mein Sohn? Der vertritt unsere Heimat im Ausland."

Dann war es soweit, der Sohn bekam die Zulassung für das Studium an der Fakultät für Wirtschaft und Politik. Der Vater war überglücklich, und vor lauter Freude lud er die Kollegen zu einem Umtrunk ein. Das, was er sich früher von Herzen gewünscht hatte, sollte nun Wirklichkeit werden. Vier Jahre Studium, danach die Stellung im Außenministerium, wo er sich Stufe um Stufe hinaufarbeiten würde – dritter Sekretär, dann zweiter, dann erster, danach erst Konsul, dann Gesandter und schließlich ... Botschafter! Ob er es noch erleben würde, das Foto des Sohnes in der Zeitung zu sehen? In einer ausländischen natürlich, weil es ja um die Übergabe des Beglaubigungsschrei-bens beim Staatspräsidenten ging. Und wenn er krank werden würde? Wenn er spürte, daß sein Ende nahte und er das Zeit-liche segnen müßte? Dann würde er den Sohn bitten, an ihn zu denken, wenn er die Galakleidung anlegte und zum Regierungssitz ginge, wo immer das sein mochte – im Schloß eines Monarchen oder im Palast eines Präsidenten. Er sollte für seinen Vater die *Fatiha* sprechen, der sich so sehr gewünscht hatte, diesen Tag mitzuer-leben, und wäre es auch nur in Form eines Fotos, das in der Zeitung abgedruckt war.

Am Tag der Immatrikulation begleitete er den Sohn zur Universität, und kaum war er wieder allein, sprach er ein Gebet für ihn. Plötzlich überfiel ihn der Wunsch, seiner Frau eine Freude zu machen. Er würde ihr ein Parfüm kaufen und beim Überreichen etwas Nettes sagen, denn schließlich hatte sie ihm diesen talentierten, vielversprechenden Sohn geschenkt, der „Ägypten im Ausland vertreten" würde.

Ein Jahr später wurde das Land von wichtigen Ereignissen heimgesucht: die Überquerung des Sueskanals durch die ägyptische Armee, der erstmalige und als äußerst bedeutsam bezeichnete Besuch des werten Herrn Kissingers in Kairo, die Entflechtung der feindlichen Truppenverbände, der Besuch Richard Nixons, den man „historisch" nannte. Vieles hatte sich seit dem Eintritt des Sohnes in das Universitätsleben verändert – Verhältnisse, die man für stabil gehalten hatte, gerieten ins Wanken.

Der Sohn studierte bei tüchtigen Professoren, und da er fleißig war, kannte er sich bald in der Wirtschafts- und Politikwissenschaft bestens aus. Er begriff schnell, beschrieb unzählig viele Seiten, geizte nie mit seinen Kräften, kurzum, er verdiente sich viel Lob. Manch einer bestaunte die Weite seines geistigen Horizonts, andere seinen scharfen Verstand und seine Zähigkeit; da war es kein Wunder, daß man ihm eine glänzende Zukunft voraussagte.

Doch kaum hatte er das Diplom erhalten, begann sich der Vater Sorgen zu machen. Es waren schwere Zeiten angebrochen. Eines Abends, es war im Herbst, traf sich der Vater mit einem alten Kollegen in einem Café in der Imad-ad-Din-Straße. Sie hatten beide die gleiche Anzahl von Dienstjahren hinter sich gebracht und die gleiche Beamtenstufe erreicht. Der einzige Unterschied bestand darin, daß der Kollege im Amtssitz des Präsidenten und nicht in einem Ministerium tätig war. Bereits vor der Revolution hatte er im Palast des Königs gearbeitet und war dann Stufe um Stufe aufgestiegen, bis er der persönliche Mitarbeiter des Unterstaatssekretärs geworden war. Sein Aufgabenbereich mochte anderen Menschen möglicherweise seltsam vorkommen, übte er doch im Präsidentenpalais die verantwortungsvolle Tätigkeit des *chef de la vaisselle* aus. Bei großen Banketten, zum Beispiel anläßlich des Besuchs ausländischer Gäste, überwachte er die Herausgabe des Geschirrs und das Eindecken der Tische. Einen solchen Posten konnte nur ein absolut vertrauenswürdiger Mensch ausfüllen, weil die meisten Gefäße und Platten aus Silber und manche sogar aus reinem Gold bestanden. Es gab historisch wertvolle Stücke von unermeßlichem Wert. Dieser Mann war also zuständig für die sorgsame Aufbewahrung und Herausgabe der kostbaren Stücke, aber er hatte noch eine andere Aufgabe, nämlich die Vorbereitung besonderer Begräbnisse. Wenn eine hohe oder berühmte Persönlichkeit starb, wählte er ein Unternehmen aus, das für ein feierliches Trauerzelt und eine würdige Bestattung sorgte. Die

Besitzer kannten und fürchteten ihn, keiner hätte sich je seinen Anweisungen widersetzt. Während all seiner Dienstjahre gestaltete er jedes Begräbnis zu einem Höhepunkt des gesellschaftlichen Lebens. Nie fehlte es an irgend etwas, nie war der kleinste Fehler zu entdecken. Er genoß größtes Vertrauen, mehr noch – er hatte es zu einem gewissen Ruhm gebracht. Man erzählte sich, daß Zakarija Muhi ad-Din, der als Mitglied im Revolutionsrat eine Zeitlang für organisatorische Angelegenheiten zuständig war, jede Kostenaufstellung, die von diesem Mann kam, blindlings abzeichnete, weil er ihm voll vertraute. Er war in vorgerücktem Alter Vater zweier Töchter geworden, und da er meinte, daß angesichts der schwierigen Lebensumstände sein Gehalt ohnehin nicht reichte, quittierte er vorzeitig den Dienst und begann in einem Reiseunternehmen zu arbeiten. Der Tag, an dem er seinen Schreibtisch und seine Verantwortlichkeiten übergab, blieb ihm als ein besonders denkwürdiger, weil trauriger Tag im Gedächtnis. Aber dafür verbesserte sich seine finanzielle Lage beträchtlich, denn der Chef des Reiseunternehmens, den er gut kannte, zahlte ihm ein ansehnliches Gehalt.

Der Vater unseres jungen Mannes traf sich gern mit dem ehemaligen Kollegen, allein schon deshalb, weil er dann einen Grund hatte, aus dem Haus zu gehen. Manchmal hielt er es zu Hause einfach nicht mehr aus; vor dem Fernseher langweilte er sich, und er hatte auch keine Lust, die Zeitung x-mal zu lesen. Als er davon gehört hatte, daß sein Kollege von sich aus den Dienst aufgegeben hatte, war er völlig perplex. Er, der stets akkurate Beamte mit der lupenreinen Personalakte, wäre auf so einen Gedanken nicht im Traum gekommen. Er glaubte fest daran, ohne seine Stellung den Boden unter den Füßen zu verlieren, und überhaupt fiel ihm jede Veränderung schwer.

An diesem Abend im Herbst erzählte er also dem Kollegen von den Sorgen, die er sich um den Sohn machte. Seit einigen

Wochen kenne man die Abschlußnoten, und Gott sei Dank habe der Sohn die Prüfungen mit Bravour bestanden. Er, der Vater, wünsche sich nichts sehnlicher, als seinen Sohn im diplomatischen Dienst zu sehen. Aber die Sache lasse sich schwer an, die Wege, die dort hinführten, seien mühselig, und bestimmt gebe es Umwege und Winkelzüge, aber die kenne er nicht; er wisse ja nicht einmal, wo der Faden beginne, um das Knäuel zu entwirren. Was ihm obendrein zusetze, sei, daß der Sohn auf eine Stellung lange warten müsse. Überhaupt ärgere es ihn, daß ausgerechnet die Fakultät, die wegen der glänzenden Zukunftsperspektiven besonders begehrt sei, Absolventen in Hülle und Fülle produziere. Jedenfalls sitze der Sohn jetzt erst einmal eine Weile ohne Arbeit herum, und wenn er überhaupt eine Stellung bekomme, habe die wahrscheinlich, so sei es ja meistens, weder etwas mit dem Studium noch mit dem Diplom zu tun.

Mit seinen Klagen bereitete er das Terrain für sein Anliegen vor: Ob sich der Kollege nicht bei einem seiner ehemaligen Mitarbeiter dafür einsetzen könne, daß sein Sohn ins Außenministerium komme, er kenne doch bestimmt jemanden, der helfen würde. Selbst wenn die Kollegen bereits pensioniert sein sollten, müsse das ja nicht heißen, daß sie keine Beziehung mehr hätten. Er kenne das nur zu gut aus seiner eigenen langjährigen Dienstzeit, eine Hand wasche die andere, selbst wenn die eine Hand schon Pension beziehe.

Offenbar fiel es dem Kollegen schwer, noch länger zuzuhören. Er knackte mit den Fingerknöcheln, schürzte mißfällig die Lippen, räusperte sich und sagte schließlich, das Land habe sich verändert und es herrschten andere Zeiten. Ein Mann mit Verstand solle nicht auf eine Stelle im Regierungsapparat schielen, da würde man ohnehin einen Hungerlohn verdienen. Wenn der Sohn intelligent sei, und davon könne er wohl ausgehen, solle er sich eine Stelle suchen, wo er ordentlich verdiene und außerdem Zeit für eine Nebentätigkeit bleibe.

Nun ja, erwiderte der Vater, bloß daß er da nicht Bescheid wisse und niemanden kenne, der seinen Einfluß spielen lassen könne. Wie solle der Sohn solch eine Stellung finden?

Für einen Moment schwieg der Kollege, dann fragte er, ob es sich bei dem Sohn um den jungen Mann handele, mit dem er ihn vor einem Jahr gesehen habe.

„Ja sicher, ich habe doch nur den einen Sohn."

Nun gut, meinte der Kollege, wenn man so lange zusammengearbeitet habe wie sie beide, müsse man sich helfen; was er seinerseits tun könne, werde er tun.

Der Vater sah ihn dankbar an, auch wenn er befürchten mußte, daß es aus seinem Traum, den Sohn im Außenministerium zu sehen, nichts werden würde. Da hatte er sich so danach gesehnt, daß der Sohn die Heimat in der Fremde würdig vertrete, und nun lag die Entscheidung nicht mehr in seinen Händen.

Nicht lange, und der Kollege setzte sich mit ihm in Verbindung. Es gebe eine einmalige Chance, wie man sie nicht alle Tage geboten bekomme. Der junge Mann besitze ja wohl einen starken Willen und gute Vorsätze, beides sei gleichermaßen entscheidend, wenn man sich durchsetzen wolle. Er müsse sich also nur noch entschließen, seine Chance wahrzunehmen. Endlich war er am Ende seiner Vorrede angelangt und rückte mit dem Wichtigen heraus: Er kenne ein paar Leute, die ein neu eröffnetes Hotel am Rand der Stadt leiteten. Der Bau habe Millionen gekostet und gehöre zu einer internationalen Hotelgesellschaft. Es sei gerade eine Stelle frei, der Sohn könne sich bewerben. Für einen jungen Mann wie ihn sei das ein gefundenes Fressen. Sein Aufgabenbereich umfasse Kundenwerbung und Öffentlichkeitsarbeit, in der Hotelsprache nenne man das wohl Marketing und Verkauf. Er würde als zuständiger Direktor eingestellt werden, was sicherlich keine einfache Aufgabe sei. Normalerweise müsse man sich auf solch einen

Posten hocharbeiten, und eigentlich rekrutiere sich das leitende Personal für gewöhnlich aus Absolventen ausländischer Universitäten. Der Sohn habe also großes Glück.

Wie es denn mit dem Gehalt aussehe, fragte der Vater.

Genau könne er das nicht sagen, erwiderte der Kollege, aber er würde schätzen, daß es so an die dreihundert Pfund plus Aufwandsentschädigung und Prämien betrage.

Noch am gleichen Abend sprach der Vater mit dem Sohn. Dreihundert Pfund – das war das Gehalt eines Ministers! Dagegen nahmen sich die fünfundvierzig Pfund, die er als Beamter verdiente, geradezu ärmlich aus. Für solch einen Posten brauche man gute Beziehungen, sagte er, aber selbst dann sei es noch ein Glücksfall.

Er redete und redete, aber im tiefsten Innern litt er ungemein. Aus der Traum, den Sohn im diplomatischen Dienst zu sehen, vorbei die Hoffnung, daß er eines Tages die Heimat in der Fremde vertrat.

Der Sohn war begeistert. Dreihundert Pfund! Soviel verdiene man als Beamter erst, wenn man kurz vor der Pensionierung stehe. Er brauche sich nur den Vater anzusehen, da habe er das beste Beispiel. Alle seine Freunde würden von solch einem Job träumen, oft genug hätten sie sich darüber unterhalten, daß diese neu entstandenen Gesellschaften ein idealer Arbeitsplatz seien. Eine ausländische Bank, ein Hotel, ein Handels- oder Touristikunternehmen, davon hätten sie immer geschwärmt. Oder in einem Ölland zu arbeiten! Er könne es noch nicht glauben, daß er, ohne auch nur einen Finger zu rühren, solch eine Chance bekomme. An sich habe er noch einige Kurse in der Universität belegen wollen, aber das könne er später machen. Dieses Gehalt sei nun wahrlich ein gutes Ruhekissen.

Kurz und gut, der junge Mann bewarb sich und bekam die Stelle. Begeistert nahm er die Arbeit auf, auch wenn er schon nach wenigen Tagen feststellen mußte, daß der Kollege des

Vaters reichlich übertrieben hatte. Kein Mensch sprach davon, daß er das Marketingbüro oder ähnliches übernehmen sollte. Schlimmer noch, er wußte nicht einmal, was er genau zu tun hatte und was von ihm erwartet wurde. Er hatte gehofft, bei dem Gespräch, das der hiesige Repräsentant des amerikanischen Unternehmens am zweiten Tag mit ihm führte, Genaueres zu erfahren. Der Mann war ein kleiner, drahtiger Typ mit schmalen Lippen, der nicht danach aussah, als könnte er aus vollem Herzen lachen. Er verlor nur einige wenige Worte, und das einzige, was er erfuhr, war, daß er in Gegenwart von Gästen oder Geschäftspartnern laut und deutlich auf seinen Hochschulabschluß und seine Spezialisierung als Politwissenschaftler hinweisen solle.

Es gab noch ein zweites Gespräch, diesmal mit dem ägyptischen Direktor, das etwas länger dauerte. Der Mann war freundlich und entgegenkommend, und das einzig Unangenehme war, daß er von Zeit zu Zeit völlig unvermittelt ein gekünsteltes, mutwilliges Lachen ausstieß. Er sagte, daß dem amerikanischen Chef sein Aussehen gefallen habe, was nicht ganz unwichtig sei. Er schob sich näher heran, starrte ihm ins Gesicht. Nun ja, er habe tatsächlich schöne Augen – hier folgte das abgerissene, sarkastische Lachen –, nur an seiner sonstigen Erscheinung sei manches zu bemängeln. Aber das sei ja leichterdings zu beheben. Er holte ein Bündel Scheine hervor. Es sei ein Vorschuß, er solle sich Hemden, Krawatten und Schuhe kaufen, Material und Farbe werde er ihm gleich beschreiben. Außerdem solle er sich ordentliche Unterwäsche kaufen, möglichst farbige, aber das könne er selbst entscheiden.

Der junge Mann sah ihn überrascht, ja verstört an.

Nun ja, erklärte der Direktor, die Hemden müssen leicht und durchsichtig sein, da sei es wichtig, daß die Unterwäsche den Gesamteindruck harmonisch ergänze.

An dieser Stelle brach er erneut in dieses berstende Lachen

aus, wobei er obendrein noch reichlich Spucke verspritzte.

Er forderte ihn auf, verschiedene Haltungen einzunehmen. „Schieben Sie ein Bein vor, jetzt das andere. Verschränken Sie die Arme auf der Brust, beugen Sie sich ein wenig vor, nun lehnen Sie sich nach hintenüber." Er schien zufrieden zu sein mit dem, was er sah, denn gleich darauf kam wieder dieses schreckliche Lachen, und dann sagte er, er könne nur hoffen, es käme kein Filmregisseur vorbei. „Sie sehen ja aus, als wären Sie aus Hollywood." Plötzlich wurde er ernst. Er könne dem jungen Mann nur raten, jedes Wort, jeden Hinweis genau zu beachten und nichts dem Zufall zu überlassen. Die Art, wie er gehe, sich verbeuge, sich umdrehe, mit den Leuten spreche, den Telefonhörer abnehme, durch die Säle schreite, im Gang stehe, lächle, einen Bückling mache, Gäste am Eingang begrüße – und jeder Gast erfordere ein anderes Benehmen, eine andere Gestik –, auf all das müsse er genau achten. Alles habe sein richtiges oder falsches Maß, und das müsse bedacht sein. Selbst für Höflichkeit gebe es einen passenden oder unpassenden Zeitpunkt und einen richtigen oder falschen Adressaten. Er müsse genau abschätzen, wem er liebenswürdig gegenüberzutreten habe und bei wem eine abweisende Haltung angebracht sei, aber auch im letzteren Fall sei jegliche Überreaktion zu vermeiden. Denn eins müsse er wissen: Der Kunde hat immer recht, auch wenn er im Irrtum ist. Er solle daran denken, daß die Gäste kommen und gehen, also habe er nur für begrenzte Zeit mit ihnen zu tun. Im übrigen werde von ihm verlangt, in dem Moment, da er das Hotel betrete, zu lächeln, und zwar unabhängig davon, wie er sich fühle. Bliebe noch eins zu sagen: Wann immer sich die Gelegenheit zu einem längeren Gespräch mit einem Gast ergebe, sollte er den Hochschulabschluß als Politologe erwähnen.

Kaum durfte der junge Mann den Raum verlassen, fragte er sich verwundert, warum der Hochschulabschluß so wichtig war.

Erst hatte das der Amerikaner gesagt und nun auch noch der Ägypter. Sicher, der gab sich leutseliger, aber unsympathisch war er trotzdem. Allein schon dieses Lachen verursachte ihm Übelkeit.

Wie auch immer, er riß sich zusammen und erzählte dem Vater nichts davon. Am nächsten Morgen kleidete er sich sorgsam an, vergaß auch nicht die Krawatte; er wollte unbedingt den gewünschten Eindruck machen. Es war der Tag, an dem sich die denkwürdige Versöhnungsreise des Staatspräsidenten in Feindesland zum ersten Mal jährte. Der junge Mann sah blendend aus, seine Augen strahlten vor Elan – alles in allem eine untadelige Erscheinung. Auf der Stelle bat die Mutter den Herrgott, ihren Sohn vor dem bösen Blick schlechter Menschen zu schützen, seine Hand über ihn zu halten und ihm nur Gutes zu bescheren, war er doch ihr ein und alles.

Der ägyptische Direktor zeigte ihm seinen Platz – er hatte im Gang vor dem Restaurant zu stehen. Er sollte gemächlich auf und abgehen, und zwar zwischen dem Spiegel, der aus einem alten Palais stammte, und der Plastik – eine fast nackte Frau, die eine Fackel hochhielt. Er hätte sich hier vor und nach den Mahlzeiten aufzuhalten, also mittags und abends, denn das Frühstück würde nicht im Restaurant serviert werden. Sobald ein Gast käme, sollte er ihm entgegenlächeln, ihn mit einer einladenden Bewegung der Hand willkommen heißen, sich verbeugen und respektvoll auf ihn zugehen. Zuerst müsse er den Gast fragen, ob er einen Tisch bestellt habe, und wenn er dies bejahe, habe er ihn bis zur Tür zu begleiten, weiter nicht, denn von da an sei der Restaurantchef zuständig.

Am ersten Tag kam ihm die Arbeit leicht vor. Er freute sich über die Stelle, denn die meisten seiner ehemaligen Kommilitonen hatten noch keinen Job gefunden. Manche gratulierten ihm, manche konnten ihren Neid nur schlecht verhehlen. Nur ein oder zwei seiner Studienkameraden fragten verwundert, was diese Arbeit mit seinem Studium zu tun habe. Er sei doch einer der besten Studenten gewesen. Mit ein wenig Geduld wäre er vielleicht Assistent geworden und hätte damit zum Lehrkörper gehört. Bei solchen Kommentaren verzog er abfällig, ja beinahe spöttisch den Mund. Wie lange hätte er da warten müssen? Und selbst wenn es schnell gegangen wäre, was für ein Gehalt hätte ihn denn als Assistent erwartet? Nur wenn er mit sich allein war, packte ihn Unruhe. Es kam ihm vor, als hätte er sich auf eine Reise begeben, ohne das Ziel zu kennen, ohne zu wissen, worauf das alles hinausliefe. Er kannte ja nicht einmal die Strecke, die er zurückzulegen hatte. O ja, er hatte durchaus ein Ziel vor Augen gehabt, aber plötzlich befand er sich auf einem völlig anderen Weg, und insgeheim beschlich ihn das Gefühl, vielleicht die falsche Route genommen zu haben. Das, was er erreichen wollte, rückte in immer weitere Ferne. Wäre es nach ihm gegangen, hätte er innegehalten und abgewartet. Aber so wie die Dinge lagen, mußte er sich der Situation stellen und allen Vorwürfen mit dem Argument begegnen, daß er durchaus die Absicht habe, sich trotzdem wissenschaftlich zu betätigen. Noch in diesem Jahr würde er mit seiner Doktorarbeit beginnen. Seine Arbeit war, wie er fand, nicht besonders anstrengend, und da er genug verdiente, würde er den Kopf für anderes frei haben.

Am ersten Tag war er eifrig darauf bedacht, auf dem vorgeschriebenen Platz zwischen Spiegel und halbnackter Frau zu stehen. Durch den Gang zogen die verschiedensten Gerüche nach neuen Möbeln, Tapeten, Parfüms, Essen. Aber er verzog keine Miene, sondern achtete auf die Haltung, die man von ihm erwartete. Er kontrollierte jeden seiner Schritte, jede Gebärde, vor allem kam es ihm aber darauf an, sich nicht zu tief und nicht zu leicht zu verbeugen.

War nichts zu tun, betrachtete er die Skulptur, und da er viel Zeit hatte, konnte er sich mit jedem Detail beschäftigen. Trotz des zarten Schleiers, der den Körper kaum verhüllte, hatte der Künstler äußerst geschickt die weiblichen Kurven herausgearbeitet, und die knospigen Brustwarzen sprangen einladend hervor. Es war die erste Skulptur einer Frau, die er sich ganz aus der Nähe ansehen konnte, und da er mit ihr allein war, fühlte er sich versucht, sie leise, natürlich nur im Flüsterton, anzusprechen.

Aber genau in diesem Moment kam ein Paar den Gang entlang – ein dicker Mann mit einer dünnen Frau. Sie hatte braune Haut, dichtes Haar und große Augen. Ihr grünes Kleid war ein wenig ausgeschnitten, so daß er die Schlüsselbeinknochen sehen konnte. Er setzte sich in Bewegung, aber ungefähr auf der Hälfte des Wegs merkte er, daß er zu schnell war. Also verlangsamte er seinen Schritt, hielt den Blick stets auf den Mann gerichtet, und als er sich verbeugte, tat er es genau so, wie man es ihm gesagt hatte. Im gleichen Moment fand er es lächerlich, einen so feinen Herrn nach der Reservierung zu fragen, außerdem saßen ja kaum Gäste im Restaurant. Andererseits war es bestimmt besser, das zu tun, was von ihm erwartet wurde, auch wenn er von der Logik nicht überzeugt war. Er stellte also die Frage, und nachdem sie bejaht worden war, geleitete er das Paar bis zum Eingang des Restaurants. Zwei rosafarbene leichte Schals waren um die Tür drapiert und gaben den Blick frei auf einen im orientalischen Stil gedrechselten Paravent. Gut gelaunt kehrte er auf seinen Platz zurück, das kurze, flüchtige Gespräch mit dem Herrn hatte ihn heiter gestimmt. Diesen Mann würde er nie vergessen, auch nicht die Frau, es waren seine ersten Gäste gewesen.

Lange hielt die gute Stimmung nicht an; es war langweilig, auf so engem Raum müßig herumzustehen. Er lief auf und ab und zählte die Schritte. Holte er weit aus, waren es elf, und machte er kleine Schritte, schaffte er sechzehn. Am frühen Abend tauchte ein Mann mit einem Zimmerschlüssel in der Hand auf. Aha, ein Hausgast. Während er den Mann zum Restaurant begleitete, schaute er auf dessen Nacken und Glatze und dachte angesichts des gesenkten Kopfs, daß der Mann irgendwelche Sorgen hatte. Schließlich sah er drei Männer auf sich zukommen, die die Uniformen einer Fluggesellschaft trugen. Als er hörte, daß sie, wie er vermutete, deutsch miteinander redeten, bekam er einen Schreck. Er dankte dem Himmel, daß sie Englisch verstanden und ihm ohne Schwierigkeiten antworteten.

Um Mitternacht ging er nach Hause. Die Eltern waren aufgeblieben, sie hatten nicht schlafen können. Ihren Gesichtern war anzusehen, wie gespannt sie auf seinen Bericht warteten. Nun wollten sie alles wissen: Warum er so spät komme? Ob die Arbeit interessant sei?

Er war müde, sehnte sich nach Schlaf, und deshalb lautete seine knappe Antwort, daß alles in Ordnung und die späte Heimkehr normal sei. Ein neueröffnetes Hotel, das sich in der Aufbauphase befinde, könne sich keine geregelte Arbeitszeit leisten. Die Konkurrenz sei groß, und deshalb würde der Direktor höchsten Einsatz erwarten.

Am nächsten Morgen sagte die Mutter zum Vater, daß der Sohn offenbar sehr erschöpft gewesen sei. Er würde nie schnarchen, aber in dieser Nacht hätte er es so laut getan, daß sie vor lauter Angst zweimal aufgestanden sei und nach ihm gesehen habe. Schon möglich, meinte der Vater, jede Arbeit habe eben ihre Vor- und Nachteile. Damit war das Thema für ihn erledigt.

Seine größte Freude war, am Fenster zu stehen und dem Sohn nachzublicken. Wenn er an der Biegung der Straße verschwand, betete er für ihn. Seit mehr als zwanzig Jahren hatte er auf diesen Tag gewartet, endlich sah er all seine Mühsal belohnt. Er konnte sich noch gut daran erinnern, wie er ihn zum erstenmal zur Schule gebracht hatte. Fast kam es ihm vor, als wäre es erst gestern gewesen. Er sah alles genau vor sich: den Hof, die Lehrerin, die dem Jungen winkte, und den furchtsamen Blick des

Kleinen, als er sich beim Weggehen noch einmal umgedreht hatte. Ganz allein stand der kleine Kerl da, und da hatte ihn solches Mitleid gepackt, daß er am liebsten wieder zu ihm zurückgelaufen wäre. Damals hatte er sich gefragt, wie viele Jahre vergehen würden, bis der Sohn auf eigenen Füßen stände, und ob er selbst noch lange genug zu leben hätte, um sich am ersten Arbeitstag mit dem Sohn zu freuen. Nun dankte er Gott für die Gnade, diesen Tag tatsächlich erleben zu dürfen.

Manchmal, wenn er mit seiner Frau über die vergangenen Jahre sprach, lobte er sich selbst für den guten Gedanken, den Jungen auf eine Fremdsprachenschule geschickt zu haben, denn sonst hätte der Sohn einen so heißbegehrten Arbeitsplatz nicht erhalten. An dieser Stelle hielt er inne, wollte er doch nicht laut aussprechen, daß er das Geld für die teure Schule nur ausgegeben hatte, um dem Sohn die Karriere im diplomatischen Dienst zu ermöglichen. Weiß Gott, niemand war würdiger als sein Sohn, die Heimat in der Fremde zu repräsentieren. Doch wie sollte man es erreichen, daß der Sohn einen Posten im Außenministerium bekam? Die Zeiten waren schwer, und man konnte Gott danken, wenn man überhaupt eine Arbeit fand. Außerdem fingen viele junge Leute, die in einem Hotel arbeiteten, ihre Laufbahn auf der untersten Stufe an und schafften trotzdem den ganz großen Aufstieg, bis zum Generaldirektor sogar. Wie oft hatte er schon in den Zeitungen Fotos von solchen Persönlichkeiten gesehen und die Geschichte ihres Erfolgs gelesen. Sein Sohn besaß die besten Voraussetzungen dafür, außerdem hatte er die Arbeit bereits auf einer gehobenen Stufe begonnen.